Fairy Chronicles

Cardencha y la Concha de la Risa

J. H. Sweet

Ilustrado por Tara Larsen Chang

Traducción de Teresa Blanch

pirueta

Título original: *Thistle and the Shell of Laughter*

Primera edición: marzo de 2008
Segunda edición: abril de 2008
Tercera edición: octubre de 2008

Avda. Marquès de l'Argentera, 17, pral. 3ª
08003 Barcelona
www.piruetaeditorial.com
www.fairychronicles.es

Impreso por Egedsa
Rois de Corella, 12-16, nave 1
08205 Sabadell (Barcelona)

ISBN: 978-84-96939-29-5
Depósito legal: B. 41.991-2.008

Para que se ría Steve

CONOCE EL

Cardencha

NOMBRE:
Grace Matthews

NOMBRE DE HADA Y ESPÍRITU:
Cardencha

VARITA:
Púa de puerco espín

DON:
Fiera y salvaje cuando defiende a los demás

TUTORA:
Madame Petirrojo

Madame Petirrojo

NOMBRE:
Madame Petirrojo

NOMBRE DE HADA Y ESPÍRITU:
Ella es un petirrojo encantado

HECHO ÚNICO:
Única tutora de hadas que no es hada

DON:
Dotada de gran habilidad para hablar y de una larga vida

TUTORA DE:
Cardencha

EQUIPO DE HADAS

Caléndula

NOMBRE:
Beth Parish

NOMBRE DE HADA Y ESPÍRITU:
Caléndula

VARITA:
Rama de sauce

DON:
Protege de insectos asquerosos

TUTORA:
Tía Evelyn,
Madame Monarca

Libélula

NOMBRE:
Jennifer Sommerset

NOMBRE DE HADA Y ESPÍRITU:
Libélula

VARITA:
Pluma de pavo real

DON:
Veloz y ágil

TUTORA:
Abuela,
Madame Crisantemo

Llevas la fuerza dentro de ti

Caléndula y la Pluma de la Esperanza

Libélula y la Telaraña de los Sueños

Cardencha y la Concha de la Risa

Luciérnaga y la búsqueda de la Ardilla Negra

Sumario

Capítulo uno

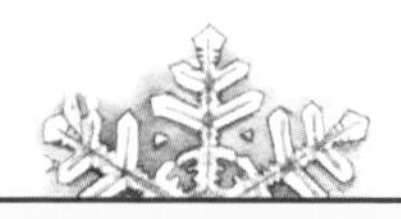

Vacaciones de Navidad

Esperaba vivir un día muy emocionante. Grace Matthews estaba disfrutando de las vacaciones escolares de Navidad, junto con sus amigas Jennifer Sommerset y Beth Parish. Las chicas pasaban tres días en casa de Evelyn, la tía de Beth. Durante las dos semanas en que no asistirían a la escuela, tendrían tiempo para hacer planes, visitar a la familia y participar en algunas actividades completamente secretas e importantes.

Grace y sus amigas eran hadas. Eso significaba que, además de ser unas niñas normales de nueve años, todas ellas poseían también espíritu de hada. Grace era un hada cardencha. Jennifer tenía el espíritu de hada de una libélula roja. Y el espíritu de Beth era el de una caléndula.

El hecho de llevar a cabo actividades de hadas representaba una enorme responsabilidad para estas jovencitas, pero lo hacían muy bien gracias a la supervisión de sus hadas tutoras. La mayoría de éstas eran hadas adultas. Evelyn, la tía de Beth, era un hada mariposa monarca. Las demás la llamaban madame Monarca y actuaba como tutora de Beth. La tutora de Jennifer era su abuela, un hada crisantemo amarilla conocida como madame Crisantemo. Pero la de Grace era una rareza en el mundo de las hadas: un petirrojo muy sabio. En otros tiempos, habían hechizado a madame Petirrojo y era capaz de hablar.

Madame Petirrojo había aparecido por primera vez en el alféizar de la ventana del dormitorio de Grace cuando ésta tenía siete años. Al caer en la cuenta de las repetidas visitas del petirrojo, Grace empezó a conversar con el pájaro. Cuando el petirrojo le contestó, Grace no

se alarmó, se mostró encantada. Escuchó con atención las instrucciones de madame Petirrojo y rápidamente aprendió cómo convertirse en hada. Bajo su supervisión, adoptó la apariencia de un hada y practicó el vuelo.

El tamaño normal de un hada es de quince centímetros de altura. Cuando adoptan dicha forma, las hadas sólo muestran su espíritu de hadas si la gente las ve por casualidad. Los padres de Grace nunca habían visto a su hija transformada en hada, pero si la hubieran visto, les habría parecido una simple cardencha silvestre.

Madame Petirrojo también había mostrado a Grace el polvo de duendecillo y el manual de las hadas. Las hadas transportaban ese polvo en pequeñas bolsas colgadas de sus cinturones y lo utilizaban para ayudar a llevar a cabo la magia propia de las hadas. El manual de las hadas era un pequeño libro beige que constituía su principal fuente de información. En su interior contenía las respuestas a las preguntas de las hadas y los consejos para adoptar las decisiones correctas.

El manual también poseía la capacidad de envejecer al mismo ritmo que su propietaria. En aquel preciso momento, el de Grace contenía la información que podía comprender una niña de nueve años. Cuando fuera creciendo, la información se iría haciendo más compleja, para ayudarla a tomar decisiones más maduras.

Durante los dos años en que Grace aprendió a convertirse en hada, su madre y su padre habían oído frecuentes risas que salían de la habitación de la niña. Devorados por la curiosidad, pretendían averiguar la causa real de tantas risas. Normalmente la encontraban sonriente y un poco jadeante, pero no hallaban nada fuera de lo normal. Al final, el señor y la señora Matthews llegaron a la conclusión de que preferían una hija feliz a una triste y, por lo tanto, no le dieron importancia al hecho de que se riera a solas en su habitación.

Grace era rubia, con el pelo corto y en punta. Tenía unos enormes ojos grises. Cuando adoptaba la apariencia de hada, poseía alas con plumas grises, largas y puntiagudas y llevaba un vestido de un rojo pálido, confeccionado con espinosos pétalos de cardencha, que le llegaba justo encima de las rodillas.

Su varita de hada era una púa de puerco espín encantada. Su primera varita había sido de pelo trenzado de cola de caballo, pero estaba tan llena de encantamiento equino que resultaba demasiado fuerte para ella. Por poco le arranca el brazo. Así pues, madame Petirrojo se las había agenciado para conseguir una nueva varita y el resultado había sido excelente. Grace y su púa de puerco espín formaban un equipo perfecto.

A cada hada le era concedido un don especial relativo a su espíritu de hada. El de Grace consistía en una gran habilidad para defenderse de los ataques. Dicho don demostró ser útil la vez que Grace tuvo que enfrentarse con una pandilla de malvados duendecillos.

CARDENCHA

Cuando Grace se enteró del don que poseía como hada, rogó a sus padres que le permitieran asistir a clases de kárate y de esgrima. En la de kárate, aprendió numerosas maniobras defensivas, que incluían la forma de contrarrestar patadas y puñetazos, y el modo de usar la palanca. En la de esgrima, Grace consiguió una excelente coordinación de los pies. Y así podía utilizar su varita como una especie de espada para defenderse si la atacaban los duendecillos o malvados insectos.

Grace también poseía una habilidad natural para enfrentarse, en caso necesario, a los acosadores. En noviembre había ayudado a otra alumna de la escuela con la que se estaban metiendo unos chicos de más edad. La situación dejó de ser divertida cuando esos chicos se dieron cuenta de que la pequeña tenía una amiga dispuesta a plantarles cara.

Madame Petirrojo, no obstante, también había enseñado a Grace que a las hadas no les está permitido usar los dones propios de su condición para asuntos triviales y se daba por sentado que las hadas más jóvenes no iban a emplear sus poderes mágicos sin la supervisión de su hada tutora. Grace nunca utilizaba ningún tipo de magia sin que madame Petirrojo o cualquier otra hada tutora dieran su consentimiento. Ya había aprendido la importancia de que las hadas no abusaran de sus poderes.

Jennifer iba a la misma clase que Grace. Era una atlética niña negra, alta y delgada, con el pelo muy negro y rizado. Como hada libélula, Jennifer tenía alas rojas oscuras y llevaba un vestido de suave terciopelo rojo cubierto de pelusa. Su don característico era la velocidad y la agilidad, y su varita, una pluma de pavo real hechizada.

Beth vivía en la otra punta de la ciudad e iba a una escuela diferente. Era de mediana estatura y tenía el cabello castaño claro y ondulado. Cuando adoptaba la apariencia de hada, Beth llevaba un vestido dorado y amarillo confeccionado con pétalos ensortijados de caléndula. Tenía alas de un color dorado pálido y lucía una corona hecha con diminutas flores de caléndula. Como don propio de su condición de hada, a Beth únicamente le habían concedido la habilidad de rechazar los insectos molestos ya que las flores de caléndula repelían los bichos. La varita de Beth era una diminuta rama de sauce.

El padre de Grace trabajaba para un fabricante de ordenadores e iba a asistir durante tres días a una conferencia fuera de la ciudad. Evelyn, la tía de Beth, se ofreció a hacerse cargo de Grace para que la madre de la niña pudiera acompañar a su marido y disfrutar así de unas cortas vacaciones. La abuela de Jennifer, que cuidaba de su nieta mientras sus padres trabajaban, deseaba ausentarse unos días para visitar a unos amigos. Así pues, se las ingenió para que Jennifer pasara tres noches en casa de la tía Evelyn. Y los padres de Beth se alegraron de dejar a Beth unos cuantos días con su tía. De este modo tendrían tiempo de acabar las compras navideñas y de arreglar la casa para los invitados de las fiestas.

Tía Evelyn recogió a las tres niñas temprano y las condujo a su casa del Callejón de los Cerezos. A las niñas les gustaba visitar a tía Evelyn. Su casa era un refugio perfecto para las hadas. Estaba pintada del color azul del huevo de petirrojo con un ribete anaranjado. La puerta de entrada era de color rojo brillante. Un columpio de jardín, de un verde hierba, colgaba a la izquierda de las escaleras de acceso. El interior de la casa también estaba repleto de colores variopintos y divertidos. Un escritorio rojo ciruela, una esterilla rosa intenso y un perchero verde menta estaban instalados frente a la puerta principal. Y el resto de la casa también lo había decorado con múltiples colores.

Aquella tarde las hadas iban a asistir a un Círculo Mágico navideño extraordinario. Círculo Mágico era el nombre que recibían sus reuniones. Grace, Beth y Jennifer contaban con otra buena amiga con la que solían pasar el rato, un hada luciérnaga llamada Lenox Hart. Pero en aquel momento se encontraba de viaje con su familia para visitar a unos familiares durante una parte de las vacaciones. La iban a echar de menos tanto a la hora de dormir como en el Círculo Mágico.

Mientras Jennifer y Beth se encontraban adornando la sala de estar con las decoraciones navideñas y jugando a hacer cunitas y a saltar, Grace se dirigió al vestíbulo para practicar golpes de kárate con los pies y para ensayar la defensa de los puñetazos. Pero al cabo de un rato se cansó y fue a ayudar a sus amigas. Beth y Jennifer estaban ensartando palomitas de maíz y arándanos en un hilo para confeccionar guirnaldas. Tía Evelyn utilizaría esas tiras para decorar su árbol de Navidad. Luego, pasadas las navidades, colgaría las guirnaldas fuera de las ventanas de la parte alta de la escalera para que sirvieran de alimento a los pájaros.

Mientras trabajaban, Grace dijo a sus amigas:

—La semana pasada ayudé a trasladarse de casa al duende Esteban y al duende Guillermo, pero sería conveniente que encontraran una familia más apropiada.

Por regla general, los duendes y las hadas no se llevan muy bien. Los duendes eran hadas masculinas, medían unos diecisiete centímetros y medio de altura y eran sumamente revoltosos. Les gustaba gastar bromas, sobre todo a las hadas. Pero Grace adoraba las travesuras de los duendes. Era el hada que más congeniaba con ellos.

En primer lugar, las hadas habían entrado en contacto con el duende Esteban. Era un duende pelirrojo, un duende del cascajo. Grace contó que Guillermo era el amigo íntimo de Esteban, un duende del musgo que tenía el cabello negro.

Los duendes obtenían su espíritu mágico de objetos cercanos a la tierra, como las bellotas, las piñas, los minerales, los cristales y los champiñones. Les gustaba vivir en casas de la gente corriente y, por regla general, eran muy serviciales. Los duendes limpiaban las salpicaduras, sacaban los calcetines de detrás de las secadoras, organizaban las cajas de herramientas, desenredaban las prendas de las cajas de costura, ponían en su sitio las herramientas del jardín, sacaban la hierba de debajo de los cortacésped, ordenaban los cajones de la cocina y encontraban objetos perdidos. Ésas eran algunas de sus ocupaciones favoritas. Pero, por otra parte, había que recompensar adecuadamente a los duendes con pasteles y leche.

Beth y Jennifer siguieron ensartando arándanos y palomitas de maíz mientras Grace proseguía con su historia.

—Los duendes han estado viviendo hasta ahora con la familia Blair en la calle Perales. Pues bien, como no les daban suficientes pasteles ni leche, decidieron trasladarse. Pero primero se pasaron un poco con sus travesuras. Para empezar, enredaron completamente los hilos de la señora Blair. Luego, desparejaron los calcetines de los cajones de la cómoda y acortaron todas las sábanas de las camas. —Grace empezó a reírse mientras explicaba estas travesuras—. Después, pusieron la pimienta en el salero y la sal en el pimentero. —Ahora el ataque de risa era tan fuerte que empezó a resoplar y se le puso la cara muy colorada—. Y después... y después... —Grace cayó de la silla al suelo, donde empezó a balancearse adelante y atrás, abrazándose las rodillas. Tras unos breves segundos, recuperó el aliento y terminó la frase—. Y después... lo desconectaron todo. —Como a sus amigas les dio la risa tonta, Grace añadió un comentario final—: O los Blair no se dieron cuenta de que tenían duendes en la casa o no se preocuparon de conservarlos. Creo que resulta muy práctico tener a uno o dos duendes viviendo contigo.

Jennifer y Beth asintieron, pero en su fuero interno se alegraron de que sus casas no tuvieran duendes. No les gustaban sus bromas y estaban convencidas de que a sus padres tampoco.

Al cabo de un rato, las niñas interrumpieron

las decoraciones navideñas para jugar a la comba. Cuando se cansaron de saltar, salieron a la terraza de delante para hacer una visita a tía Evelyn. En aquel mismo momento, el señor Dusel, el gnomo del jardín, estaba subiendo los escalones de la puerta principal. Al igual que todos los gnomos de jardín, tenía un color marrón polvoriento, medía veinticinco centímetros y lucía un bigote espeso. Su trabajo consistía en ayudar a las plantas a crecer y añadir colores al patio y jardín, si era necesario.

La tía Evelyn y su gato naranja, *Maximiliano*, observaban cómo trabajaba el señor Dusel, y ambos habían escuchado una larga charla sobre técnicas de abono del experto duende. Como la mayoría de los duendes, estaba muy orgulloso de su trabajo y le encantaba compartir información.

Lo que más le gustaba al señor Dusel era trabajar en los jardines y patios de las casas ocupadas por las hadas porque ellas podían verle y hablarle. La gente sin propiedades mágicas lo confundía con un objeto normal y corriente, por ejemplo un melón, un balón de fútbol o el tocón de un árbol. Al cartero que había repartido el correo hacía una media hora, el señor Dusel le había parecido simplemente una de las piedras de hormigón redondas de la pared de mampostería.

—Hola, chicas —las saludó. Luego el señor Dusel se dirigió a la tía Evelyn—: He acabado de cubrir con mantillo el parterre de lirios. Estará bonito y coquetón hasta la próxima primavera. Y he recogido las semillas de cinia. ¿Están listos los sobres, Evelyn? —preguntó.

—Sí, aquí los tengo —contestó tía Evelyn.

Ese año las cinias habían sido tan bonitas y saludables que la tía había dejado secar las flores hasta convertirse en semillas. Cuando llegara la primavera, ella y el señor Dusel las plantarían con la esperanza de conseguir también unos vistosos parterres la próxima temporada. Tras un otoño fresco y agradable, las flores se habían secado y las semillas estaban listas para la recolección.

—Los sobres, por favor... —dijo el señor Dusel, con un tono de voz parecido al de los presentadores de concursos. Se metió la mano en uno de sus bolsillos y extrajo un puñado de semillas—. Rojas... —comentó. Parecía como si los quince bolsillos de su mono y los dobladillos de sus pantalones estuvieran repletos de semillas de cinia de diferentes colores—. Amarillas, naranja, púrpura suave, blancas, rosa pálido, doradas, blanco opaco, rosa intenso, púrpura oscuro...

Cuando acabaron de rellenar y etiquetar los sobres, el señor Dusel añadió:

—Podrías permitir que las niñas arrancaran los tallos secos y que los pusieran en la pila del abono.

—¡Ya lo haré yo! —exclamó Jennifer ilusionada.

La protección de la naturaleza formaba parte del trabajo de las hadas. Las hadas se tomaban muy en serio el tema del reciclaje y de los abonos. Sin embargo, Jennifer había llevado sus preocupaciones conservacionistas y medioambientales a un nivel completamente nuevo. Ella era la *Reina del Reciclaje* de su barrio y había redactado dos folletos: *51 Modos de reutilizar los botes de café* y *102 Formas de utilizar las tarrinas de mantequilla.*

Hacía poco que los folletos de las tarrinas de mantequilla se habían acabado de redactar e imprimir, y Jennifer contaba con poder distribuirlos aquella misma tarde en el Círculo Mágico. Esperaba que sus amigas sintieran el mismo entusiasmo que ella por el reciclaje de los envases de plástico de la mantequilla y de la margarina que podrían servir para fabricar los moldes de los castillos de arena, para plan-

Sr. Dusel
IVY

tar las hierbas propias de cada estación, para meter los peces en peceras, como cubiteras para el congelador, y como cajas para almacenar herramientas.

Cuando Jennifer regresó de amontonar los tallos secos de cinia en la pila del abono, las tres niñas obsequiaron al señor Dusel con una de las decoraciones navideñas que habían confeccionado. Estaba compuesta por arándanos ensartados en un alambre que después habían retorcido para darle forma de estrella y a la que habían atado una cinta de satén verde para colgarla.

El gnomo se sintió muy satisfecho y dio las gracias a las niñas de todo corazón.

—Es preciosa. Mi mujer adora el color arándano. Y quedará perfecta colgada de nuestra puerta principal.

En la cresta del Melocotonero, en el lado de la extensa colina, residía el señor Dusel en una casa estilo búnker. La colina alojaba una numerosa comunidad de gnomos, y el señor Dusel tenía muchos vecinos. Como la puerta de su casa sólo medía treinta centímetros de altura, el adorno navideño tendría las proporciones adecuadas. Se despidió de las niñas y se fue llevándose el adorno cuidadosamente colgado del brazo, como si fuera un bolso.

Capítulo dos

El Círculo Mágico

A las once en punto tuvieron que salir para ir al Círculo Mágico. Las niñas se metieron en la camioneta verde lima de tía Evelyn y se abrocharon los cinturones de seguridad. Luego se pusieron a cantar villancicos para entretenerse durante el viaje. Cuando se cansaron de cantar, empezaron a hablar de los asuntos sobre los que suelen hablar las hadas, por ejemplo las palomas o los corros de setas venenosas.

Unos treinta minutos más tarde, tras un trayecto lleno de baches por recónditas carreteras rurales, las hadas llegaron a una zona poblada por densos bosques. Tía Evelyn aparcó junto a un camino sin asfaltar. Con cuatro pequeñas detonaciones, todas se transformaron en hadas y volaron hacia la cima de la colina, atravesando varios bosques, hasta llegar al Círculo Mágico. En homenaje a la Navidad, esta vez las hadas se reunieron bajo un abeto. Las ramas de hoja perenne que colgaban casi hasta el suelo las protegerían de los frescos vientos de diciembre.

Madame Sapo era la jefa de las hadas de aquella región y había elegido el emplazamiento del Círculo Mágico con sumo cuidado. El abeto se encontraba en el límite de una pequeña plantación de manzanos. Los unicornios se sentían atraídos por los manzanos, y madame Sapo esperaba que, en algún momento de aquella misma tarde, las hadas serían invitadas a visitar a los unicornios.

La jefa de las hadas había llegado temprano y había decorado la parte inferior de las ramas de los abetos con colgantes de arándano. Luego, usando su diminuta varita de tallo de capullo de rosa roja, había hechizado los arándanos para que despidieran un suave resplandor.

Cuando comenzó la reunión del Círculo Mágico, Libélula ayudó a madame Sapo a encender la lumbre sobre el escudo de fuego de las hadas, formado por un cuenco de hierro poco profundo fabricado especialmente para los fuegos de campamento de las hadas. El escudo protegía la tierra para que el fuego no la dañara. Muchas de ellas susurraron las palabras *luz de las hadas* para que las puntas de sus varitas brillaran con un suave resplandor. Luego, colocaron sus varitas en los sitios más apropiados alrededor del círculo para añadir una alegre iluminación a la reunión.

El Círculo Mágico Navideño había sido planeado con mucha antelación para que pudiera asistir el mayor número posible de hadas. Incluso habían venido madame Musaraña y madame Algodoncillo, dos hadas procedentes de la región del Norte.

Madame Musaraña y madame Algodoncillo eran amigas de varias familias de trols de la zona. Por regla general, éstos hacían buenas migas con las hadas y esta vez habían cocinado galletas de calabaza como amistoso regalo navideño con el propósito de que madame Musaraña y madame Algodoncillo las llevaran a la reunión del Círculo Mágico. La única pega era que los trols no solían tener muy buena memoria y se habían olvidado de añadir algunos de los ingredientes básicos de la receta de los dulces de calabaza. De esta manera las galletas tenían un sabor un tanto peculiar. Pero era un bonito detalle y las hadas lo aceptaron muy agradecidas.

Era la primera vez que las hadas del Círculo iban a encontrarse con Estrella de Mar, un hada procedente de la costa. Madame Sapo había coordinado su visita con madame Ostra, la jefa del Golfo de las hadas. En la zona del Golfo no había demasiadas hadas, así que Estrella de Mar era consciente de que se trataba de una invitación especial. Madame Ostra no podía asistir pero había hecho los preparativos necesarios para que una grulla blanca llevara a Estrella de Mar hasta el Círculo Mágico.

En realidad, Estrella de Mar se llamaba Gina. Tenía el pelo rubio, largo y ondulado, y llevaba un suave gorro de color arena en forma de estrella. El vestido le llegaba justo debajo de las rodillas y estaba confeccionado con extensos zarcillos verdes y azules que parecían hebras de algas marinas. Las diminutas y delicadas alas de Estrella de Mar eran exactamente del mismo color que la espuma del mar. Cuando se movía, una refrescante bruma de gotas marinas salpicaba ligeramente a las otras hadas. Y su voz tenía una calidad rica y susurrante como los vientos marinos y los rugidos de las olas. La varita de Estrella de Mar era una púa de erizo de mar.

Cardencha, Libélula y Caléndula pensaron que Estrella de Mar era el hada más bella que jamás habían visto. Pero la primera vez que se encontraron con Algodoncillo también pensaron lo mismo de ella. Todas las hadas eran hermosas, incluso madame Sapo, así que la fascinación que sentían por Estrella de Mar se debía simplemente a la emoción que les producía el hecho de conocer a una nueva hada.

Las niñas también recibieron la visita de muchas otras amigas, entre ellas la de Vincapervinca, Tradescantia, Tulipán, Azucena, Primavera, Magnolia, Clavel, Dondiego de día, y Romero. También estaba allí una vieja hada mariposa a la que no habían visto con anterioridad, pero era evidente que madame Sapo la conocía. Su espíritu era el de una mariposa cola de golondrina benjuí. Madame Cola de Golondrina tenía unas alas muy grandes de terciopelo negro con resplandecientes manchas marfileñas y su vestido de seda era negro con brillos azulados. Madame Monarca pasaba mucho tiempo hablando con ella. Cuando estaban juntas tenían una apariencia muy majestuosa.

Madame Petirrojo también estaba presente y empleaba la mayor parte de su tiempo cantando melodías navideñas con su bella voz de pájaro cantor.

También el duende Alan había sido invitado al Círculo Mágico. Era un duende champiñón con un despeinado cabello castaño claro. Iba ataviado con los tradicionales colores canela suave de los duendes y llevaba en la cabeza un sombrero como un champiñón.

Alan había dedicado los últimos seis meses a vigilar la Pluma de la Esperanza, que era la fuente de toda la esperanza que quedaba sobre la tierra.

Había montado sobre pájaros y otros animales, incluso sobre unos cuantos delfines y ballenas, para difundir la esperanza por todo el mundo. Ya no era el encargado de la pluma y ahora podía tomarse un bien merecido descanso. Alan pasaba la mayor parte de su tiempo en el Círculo Mágico hablando con Caléndula. Tras varias citas que habían tenido lugar durante el verano, se había mantenido en contacto con ella por medio de mensajes nuez.

Los mensajes nuez se encontraban en las cáscaras vacías de las nueces que las hadas utilizaban para mandarse notas y cartas. A los pájaros y a otros animales les gustaba hacer de carteros de las hadas.

Cuando Cardencha y Libélula fueron a saludar a Alan, Caléndula le dijo:

—Alan me estaba hablando de su colección de meteoritos. En el momento en que los meteoros chocan con la tierra para convertirse en meteoritos, normalmente sólo tienen el tamaño de un guisante o de una canica, por lo que se pueden coleccionar perfectamente. La próxima semana, tía Evelyn nos llevará a recolectar meteoritos. Me parece que yo también empezaré a coleccionarlos.

Alan arrastró los pies y metió las manos en los bolsillos mientras Cardencha y Libélula expresaban un educado interés. Se sintió complacido cuando se marcharon porque, en cierta manera, era un poco tímido y prefería hablar a solas con Caléndula. Cuando Libélula y Cardencha se fueron, Alan sonrió tímidamente y le dijo a Caléndula:

—Esta mañana he gastado tres bromas para trastocar el orden establecido, así que por aquí todos estarán seguros.

Mientras pronunciaba esas palabras, Caléndula soltó una risita tonta y enrojeció.

Cardencha pasó un rato ayudando a Libélula a distribuir sus folletos en las tarrinas de mantequilla. Luego dispusieron las golosinas y los refrescos. Como las hadas tenían tiempo de sobra para hacer los preparativos, había un montón de comida. Habían hecho su habitual platillo de galletas de hojaldre espolvoreadas de azúcar, frambuesas, mantequilla de cacahuete y emparedados de crema de malvavisco, dulces de azúcar y mantequilla caseros y gominolas de limón. Pero también había bolas de palomitas de maíz de caramelo, galletas crujientes de azúcar de caña, pan y mantequilla, rebanadas de pan con trocitos de cereza. Y bebían sidra caliente y cacao en tazas hechas con cáscaras de bellota.

Madame Sapo también había elaborado otro manjar navideño especial, éste era conocido como la divinidad de las hadas de copos de nieve. Era esponjoso, cremoso y dulce como la divinidad normal, pero le habían dado la forma de bolas de nieve para hacer juego con la estación del año. Asimismo madame Sapo había hechizado los caramelos para que flotaran y sobrevolaran el Círculo Mágico. Así pues, las hadas disfrutaron de las

golosinas y refrescos con la divinidad de las hadas de copos de nieve flotando y arremolinándose a su alrededor. Recogieron gran cantidad de divinidad de copos de nieve para que madame Musaraña y madame Algodoncillo se las llevaran como regalo a sus amigos los trols.

Mientras estaban realizando la visita, tal como había esperado madame Sapo, se acercaron al abeto dos unicornios. Las hadas se mostraron encantadas. Los brillantes abrigos blancos de los unicornios resplandecían y su cornamenta dorada lanzaba destellos al reflejar la luz del sol de la tarde. Saludaron a las hadas con un movimiento de cabeza. Madame Sapo había traído unas cuantas manzanas consigo ya que el huerto de los manzanos no las tenía durante esa época del año. Después, les aplicó sus poderes mágicos para que bajaran rodando hasta los unicornios. La fruta fue aceptada con gran alegría.

Los unicornios masticaban satisfechos, mientras contemplaban a las hadas con sus cálidos ojos marrón dorado. Al finalizar su festín, se quedaron unos segundos más mientras las ha-

das revoloteaban a su alrededor. Pero no permanecieron allí mucho rato. Cuando todas las hadas hubieron tenido la oportunidad de verlos de cerca y de desearles unas felices vacaciones, los unicornios se alejaron galopando, con las colas y las crines blancas ondulando al viento vespertino. A pesar de la brevedad de su visita, el haber podido contemplar a los unicornios había sido un verdadero lujo.

Todas las hadas intercambiaron pulseras que ellas mismas habían hecho en señal de amistad. La mayoría de las niñas habían traído pulseras extras para regalarlas a los visitantes. Caléndula había hecho una especialmente para Alan para celebrar la amistad que los unía. Era de color canela, marrón, dorada y amarilla... los mismos colores que tenían combinados los champiñones y las flores de caléndula.

Cuando casi todos habían acabado de comer y de intercambiar regalos, un elfo se sumó a la reunión. Sobrepasaba ligeramente los sesenta centímetros de altura y se veía obligado a inclinarse para colocarse bajo las ramas del abeto. Tenía el pelo oscuro, los ojos color avellana e iba ataviado con unas ropas marrones y verde oliva, y lucía una gorra de suave verde oscuro sobre la cabeza. También llevaba un trozo de cristal claro y alargado que pendía del cuello con una cuerda de seda marrón.

Mientras esperaban que madame Sapo les presentara al invitado, Cardencha buscó el término *elfo* en su manual de las hadas:

> *Elfos: Son unos seres mágicos felices y juguetones. Generalmente son bromistas y pesados, pero afables, aunque no tan traviesos como los gnomos. Los elfos parecen jóvenes, a pesar de que en realidad son muy viejos. Es la criatura mágica que más años lleva viviendo sobre la tierra y no envejece ni muere. Su magia tiene un toque misterioso. Los elfos no suelen usar sus poderes mágicos ante otros seres, así que no se sabe a ciencia cierta hasta dónde llegan sus habilidades. Es evidente que pueden aparecer y*

desaparecer a voluntad y están considerados como las criaturas mágicas más poderosas.

Cardencha no creía que el elfo que había venido a visitarlos encajara muy bien en la descripción de su manual ya que, en vez de sonreír, tenía el ceño fruncido y era la criatura más seria que jamás hubiera visto. No era capaz de imaginarse que alguien permaneciera tan serio en esa época del año. Aquel elfo tampoco se parecía a los que había visto en los libros ilustrados. Sus orejas no eran demasiado puntiagudas y el sombrero y los zapatos tampoco acababan en punta. Parecía más bien un gnomo grande.

Madame Sapo llamó al orden al Círculo Mágico. La jefa de las hadas tenía un aspecto magnífico. Llevaba una corona de diminutos capullos de rosa rojos que hacía juego con su varita y tenía unas pequeñas alas de un verde oscuro brillante colocadas sobre sus regordetes hombros. Las enaguas y las mangas de su vestido eran de un color marrón verdoso turbio. Pero la falda y el corpiño estaban repletos de destellantes gotas de humedad, que brillaban como joyas con la tamizada luz que había debajo de las ramas del abeto.

La voz de madame Sapo, alta y profunda, exigía que todo el mundo prestara atención.

—¡Bienvenidos! ¡Feliz Navidad, Hanukkah y Kwanzaa! Hoy tenemos con nosotros a un invitado especial. Se llama Serio. Ha venido para solicitar nuestra ayuda.

Serio estaba sentado junto a madame Sapo para no tener que encorvarse bajo las ramas del abeto.

—Hola —dijo con una inclinación de cabeza. Parecía imposible, pero se le veía incluso más serio que unos minutos antes y su ceño se acentuó al dirigirse a los asistentes—. Han robado la Concha de la Risa.

Las hadas más jóvenes se intercambiaron miradas, sin acabar de entender lo que estaba diciendo. El elfo prosiguió su relato.

—Durante aproximadamente un siglo, yo he sido el protector de la Concha de la Risa. Mi trabajo consiste en repartir la risa por la tierra mediante las corrientes, los alisios, los

SERIO
Y RISITAS

céfiros y demás vientos. Aún no he denunciado su desaparición a la Madre Naturaleza. Pero necesito recobrar la concha con rapidez. Sólo dispongo de dos días para atrapar la cola de unos vientos alisios. Si no lo consigo, Islandia, Noruega, Suecia y Finlandia se quedarán todo un año sin risa.

Las hadas se miraron asustadas con los ojos muy abiertos. Cardencha era la que estaba más horrorizada. No podía concebir que desapareciera la risa de ningún lugar. Con la boca abierta y los ojos más grandes de lo normal, se inclinó hacia adelante pendiente de cada una de las palabras que salían poco a poco de la boca de Serio.

—Tanto la risa como las lágrimas deben existir, pero tienen que estar equilibradas. Mi hermano gemelo, Despreocupado, es el protector de la Piedra de las Lágrimas. He contactado con él. La piedra se encuentra a salvo, por lo que no se trata de un doble complot, como en un principio temía.

Serio hizo una pausa y suspiró, frunciendo todavía más el ceño.

—Mi casa no está lejos de aquí. La concha desapareció ayer por la noche de tal manera que puede que todavía se encuentre cerca. Pero necesito ayuda para rastrear con rapidez.

Entonces madame Sapo volvió a dirigirse a las hadas:

—He decidido que Cardencha capitanee esta misión. Es el hada más risueña con la que me he topado. Y para ser francos, ella será la que más tiene que perder, si no localizamos la concha. Madame Petirrojo hará de supervisora. Está muy familiarizada con los bosques y conoce a la mayoría de las criaturas que allí viven. Caléndula y Libélula la acompañarán.

Las hadas se despidieron y se desearon felices fiestas, mientras el Círculo Mágico se iba disolviendo. Madame Musaraña y madame Algodoncillo se marcharon con sus pulseras símbolos de amistad y con el manjar tan divino, montadas en el enorme halcón que las había traído hasta allí. Y Estrella de Mar se alejó volando sobre la grulla blanca de regreso hacia el Golfo. Las demás hadas desearon buena suerte a Cardencha, Libélula, Caléndula y madame

Petirrojo, mientras se preparaban para marchar en compañía de Serio.

Madame Monarca dijo a las hadas jóvenes:

—Me pondré en contacto con vuestros padres y les informaré de que estáis bien. Id con cuidado.

Y con estas palabras, abrazó a las niñas y se alejó volando por los bosques y descendió por la colina para dirigirse al lugar en el que había aparcado el coche.

Capítulo tres

La cueva de los elfos

Acompañadas por Serio, las hadas y madame Petirrojo viajaban a través de los bosques. Él explicó con más detalle en que consistía su trabajo.

—En un siglo sólo he cometido un error. Tomé los mismos vientos alisios un par de veces y distribuí doble ración de risa en México. La cosa no funcionó bien. La gente se reía durante los funerales, durante la celebración de los oficios religiosos solemnes y durante las representaciones teatrales de tragedias. Tuve que reunirme con la Madre Naturaleza para darle explicaciones.

Serio tiritó ligeramente y prosiguió con su relato:

—En el momento en que hablé con ella, había adoptado la forma de resaca. A pesar de que no me es posible ahogarme o morir, la situación fue espantosa.

Las hadas asintieron comprensivas, y madame Petirrojo gorjeó compasiva. Ninguna de ellas se había entrevistado nunca con la Madre Naturaleza. Ella era la guardiana de las criaturas mágicas y la supervisora de todas las actividades naturales. La Madre Naturaleza siempre estaba muy ocupada, era extremadamente poderosa, y a menudo adoptaba formas peligrosas

como las ventiscas, terremotos y relámpagos. Nadie podía saber cuándo adoptaría una forma segura como la de nube, arco iris o niebla.

Mientras volaba al lado de madame Petirrojo, Cardencha consultó el concepto *Concha de la Risa* en el manual de las hadas. Leyó el artículo en voz alta a Libélula y a Caléndula que estaban cerca:

> *Concha de la Risa:* *La Concha de la Risa es la fuente de toda risa que se produce en la tierra. Es una industria que fabrica risa, como si fuera una planta manufacturera. La concha se encuentra dividida por dentro en secciones que reciben el nombre de cámaras. Cada cámara contiene un ingrediente clave o un componente de la risa. Los componentes son los siguientes: un tesoro enterrado, el sonido de cachorros ladrando, un chiste en dos partes, burbujas, nieve de Navidad, sonido de campanillas, dieciocho plumas para hacer cosquillas y el canto de un pájaro.*

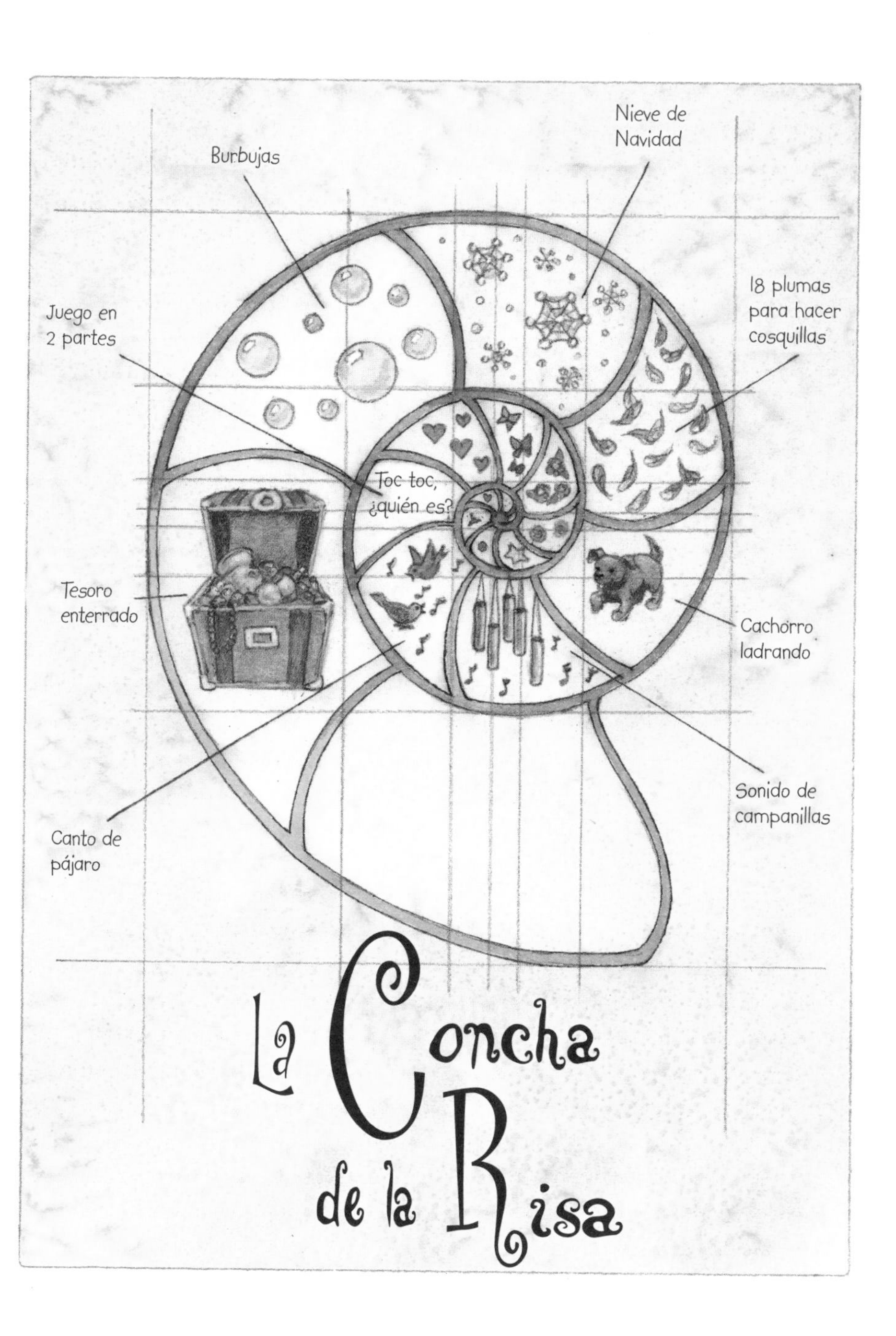
Nieve de Navidad
Burbujas
18 plumas para hacer cosquillas
Juego en 2 partes
Toc toc, ¿quién es?
Tesoro enterrado
Cachorro ladrando
Sonido de campanillas
Canto de pájaro
La Concha de la Risa

Las hadas y madame Petirrojo sonrieron complacidas al conocer cuáles eran los componentes de la risa. Pero Serio no sonrió. Frunció el ceño y miró fijamente hacia delante. Luego aún se puso más ceñudo. Parecía tomarse tan en serio su trabajo que nunca reía. De hecho, hacía más de un siglo que no había sonreído ni reído.

La casa de Serio era una cueva situada en una zona oscura del bosque que casi daba miedo. Resultaba extraño que la Concha de la Risa se guardara en un lugar tan oscuro y de tan mal presagio.

Sin embargo, la cueva era bastante diferente del bosque que la rodeaba. La cámara principal relucía con el brillo de los cristales y minerales de colores. Había una única vela oscilante en uno de los rincones, y el resplandor de la diminuta llama bastaba para iluminar toda la cueva con las intensas chispas procedentes del efecto prisma de los cristales que reflejaban la luz. En otro de los rincones de la cueva, un suave paño plateado cubría una estalagmita lisa.

Cueva de Cristal de Serio

—Ése es el lugar donde normalmente se guarda la concha —dijo Serio.

De repente, la cueva se llenó de risitas agudas que resonaban y un pequeño erizo salió de detrás de una piedra. Cuando divisó a Serio, se puso a gruñir y a reírse feliz. Serio se le aproximó. El erizo se enroscó y rodó sobre su espalda, dejando al descubierto su suave vientre rosa. Serio le hizo cosquillas, y las risitas del erizo se convirtieron en carcajadas, mientras se revolcaba por el suelo.

Una y otra vez, se enrollaba y desenrollaba sin parar a lo largo de la cueva, riéndose con disimulo. Cuando finalmente paró de revolcarse, Serio dijo:

—Os presento a Risitas.

Cardencha dio un paso adelante para hablar con el erizo.

—Ya sabes, el picor se parece mucho al cosquilleo.

En aquel mismo instante, el erizo rodó sobre su espalda. Cuando Cardencha le rascó la barriguita, de nuevo tuvo un ataque de risa que se manifestó en risitas y ronquidos. Riendo alegremente, Cardencha se revolcó por el suelo en compañía de Risitas. Las demás hadas tampoco pudieron evitar reírse.

Luego, todos tomaron asiento mientras Serio les explicaba el robo de la concha.

—Risitas o yo estamos siempre aquí. No entendemos cómo ha podido suceder algo semejante. La última vez que vimos la concha fue ayer por la noche sobre las nueve. Estaba consultando mi programa—. Serio señaló una mesa redonda giratoria colocada en el centro de la cueva, repleta de grandes hojas de papel que parecían mapas. Siguió explicando—: La risa la distribuyen varios vientos diferentes, algunos de los cuales conectan entre sí para continuar su viaje a un determinado destino. Yo sigo un programa sumamente complejo, que cada año diseña la Madre Naturaleza, basado en los vientos alisios, en el viento seco y caliente del este de las Montañas Rocosas que sopla hacia el Sur, en los sirocos, en si se va a producir un tifón, en el comienzo de los monzones, en la actividad de los tornados y en otros factores meteorológicos que afectan al viento.

Aproximadamente a las nueve y media, había acabado de comprobar mi programa semanal. Cuando di media vuelta, la concha había desaparecido. Había estado sentado de cara a la puerta de la cueva. No era posible que nadie hubiera entrado o salido sin que yo me diera cuenta.

Antes de que las hadas o madame Petirrojo pudieran hacer un comentario o plantear alguna pregunta, se oyó que llamaban a la puerta de la cueva.

—Debe ser Tom —dijo Serio.

Tom era un *leprechaun*, un duende, amigo de Serio. Medía unos veinte centímetros de altura y tenía el pelo castaño claro. Tom era corpulento e iba vestido de color naranja. Las hadas buscaron rápidamente el término *leprechaun* en sus respectivos manuales:

> *Leprechauns: Son pequeños duendes mágicos irlandeses con la capacidad de robar y encontrar tesoros. Son muy listos y les encantan los acertijos. También les*

gusta retar a los demás a que localicen tesoros que ellos mismos han escondido. Sin embargo, a veces los leprechauns esconden tan concienzudamente un tesoro que ni ellos vuelven a encontrarlos. Al igual que los elfos, los leprechauns poseen la habilidad de aparecer y desaparecer cuando quieren. También son capaces de volar sin alas. No se sabe cómo pueden conseguirlo; pero se cree que sus poderes proceden de un trébol mágico guardado en su bolsillo, que les concede la habilidad de volar y de practicar actos de magia.

Serio presentó a Tom a las hadas y a madame Petirrojo.

Tras un breve saludo, Tom se giró hacia Serio:

—Acabo de recibir tu mensaje y he venido en tu ayuda.

El *leprechaun* y el elfo habían trabado amistad mientras buscaban uno de los tesoros escondidos de Tom. Éste se había topado con

Serio en el bosque y lo había retado a localizar un tesoro que él había ocultado. Más adelante, cuando el elfo se vio incapaz de localizarlo, lo habían buscado juntos. Tom era un excelente rastreador de tesoros, pero aún era mucho más listo a la hora de ocultarlos. Les había costado casi dos años descubrir el tesoro que Tom había escondido.

—Estupendo —dijo Serio—. Como uno de los componentes clave de la Concha de la Risa es un tesoro enterrado, tu intervención será muy ventajosa para nuestro equipo. —Hizo una pausa antes de proseguir su discurso—: Creo que la mejor forma de empezar sería preguntar a nuestros vecinos si últimamente han visto o oído algo que pueda resultar sospechoso.

Como se estaba haciendo tarde y oscurecía, el grupo decidió no iniciar la búsqueda hasta la mañana siguiente. Serio obsequió a todos con una cena a base de sopa y pan. Pero la sopa era muy sabrosa y sustanciosa, pues estaba hecha con la magia de los elfos. También preparó camas blandas para sus invitados en uno de los rincones de la cueva. Luego, educadamente pero con firmeza, pidió a Risitas que parara de reír hasta que se hiciera de día. Lo único que las hadas oyeron aquella noche fueron los suaves ronquidos de Risitas y algunas apagadas risas mientras dormía.

Capítulo cuatro

El gnomo, el pájaro de los arrozales y la bruja

El grupo se puso en marcha al amanecer tras el desayuno, que consistió en tostadas y mermelada. El elfo los condujo por los bosques en busca de su vecino más cercano, un gnomo del bosque llamado Dedos de Ámbar porque tenía los dedos de los pies de ese color. Serio explicó que los gnomos del bosque vivían en casas construidas en los árboles. El señor Dedos de Ámbar ya había salido de casa así que tendrían que darle alcance de camino al trabajo.

—Es quien colorea los cristales y los minerales de mi cueva —les aclaró Serio—, pero no espero que me visite hasta el próximo jueves.

Serio conocía perfectamente el camino que recorría el señor Dedos de Ámbar para ir a su trabajo. En primer lugar llevó al grupo hasta un viejo roble. Examinando el suelo junto al tronco del árbol, les dijo:

—Creía que podía estar cosechando y plantando algunas de estas bellotas, pero no ha venido por aquí.

Tom se aproximó al roble mientras los demás se marchaban. Tras recorrer una corta distancia, todos se giraron para mirar al *leprechaun*. Tom estaba pataleando y gritando al árbol. Transcurridos unos breves segundos les dio alcance, jadeante.

—El árbol no ha querido ponerme un acertijo —explicó Tom con un tono de frustración en la voz—. Pero intuyo que los gritos no han sido demasiado convincentes —añadió, un poco avergonzado por haber perdido tan fácilmente los estribos.

Los robles podían adivinar el futuro. Pero nunca ofrecían una información o un consejo directo. En cambio, se divertían planteando a los demás complejos acertijos. Era evidente que ese roble no había querido compartir ningún tipo de información con el *leprechaun*.

Se encontraron con Dedos de Ámbar en la siguiente parada. Se estaba afanando por colorear las bayas que cubrían las matas de unos arbustos sagrados. El gnomo del bosque tenía prácticamente la misma talla que el gnomo de jardín, pero llevaba barba e iba vestido completamente de verde. Incluso su piel tenía aspecto verdoso. Serio presentó a las hadas y a madame Petirrojo a Dedos de Ámbar. Pero, antes de que Serio pudiera explicar por qué habían ido hasta allí, él y Tom desaparecieron repentinamente con un sonido que recordaba unos pequeños *chasquidos* metálicos.

—¿Dónde han ido? —preguntó Cardencha.

Madame Petirrojo alzó el vuelo y se posó sobre una rama alta de un arbolito cercano. Mientras tanto, Risitas corrió a refugiarse tras un tronco y las hadas oyeron un tintineo de campanas. Dos excursionistas, un hombre y una mujer, aparecieron de pronto entre los árboles.

—Estamos cerca de un camino de montaña —susurró el señor Dedos de Ámbar.

Sr. Dedos de Ámbar

Las hadas guardaron silencio y los excursionistas pasaron de largo. El hombre y la mujer llevaban cuerdas con campanillas colgadas de sus mochilas. No repararon en el señor Dedos de Ámbar, que les habría parecido una simple piedra lisa de color gris, y las hadas se acurrucaron junto a él.

Cardencha y Caléndula se sintieron agradecidas de pasar inadvertidas. Como las flores de caléndula y de cardencha raras veces florecían en diciembre, habrían sido demasiado llamativas para un excursionista observador o para un aficionado a las flores.

Después de alejarse los excursionistas, Serio y Tom regresaron.

Caléndula preguntó a los demás:

—¿Por qué llevan campanillas? Armar semejante ruido mientras se camina por los bosques no parece ser precisamente una muestra de inteligencia.

El señor Dedos de Ámbar le respondió:

—En realidad sí que es una muestra de inteligencia. La llevan para que los animales tengan tiempo suficiente de apartarse de su camino. Si hacen ruido, no es tan probable que sean sorprendidos por un oso o un jaguar. Los animales que se asustan pueden ser peligrosos. Entonces Serio contó la desaparición de la Concha de la Risa al señor Dedos de Ámbar y preguntó al gnomo si últimamente había observado algo fuera de lo normal.

El señor Dedos de Ámbar negó con la cabeza, pero dijo que se mantendría vigilante y que le mandaría un mensaje si notaba algo.

—Preguntaré a mis vecinos, el señor Corcho de Cuarzo y el señor Ala de Jaspe, si han visto u oído algo extraño —añadió.

Cuando el grupo se fue, el señor Dedos de Ámbar reanudó su tarea de colorear las bayas sagradas.

—A continuación visitaremos a una familia de trols que vive cerca de aquí —les dijo Serio—. Como no pueden exponerse a la luz del sol, hablaré con ellos en el interior de su oscura guarida. No les gustará que los despierte, pero el asunto es importante.

Sin embargo, el grupo no llegó a alcanzar la guarida de los trols. Un pajarito que revoloteaba de rama en rama junto a ellos empezó a gorjear emocionado para captar su atención.

—*Pájaros de los arrozales, pájaros de los arrozales* —cantaba.

Mientras el pájaro seguía con su extraña llamada, madame Petirrojo dijo al grupo:

—Es un pájaro americano de los arrozales.

Voló hasta la rama en la que estaba posado el pájaro de los arrozales y, con los gorjeos y el parloteo propio de la conversación de las aves, explicó su misión al recién llegado. Cuando el pájaro americano de los arrozales volvió a cantar su extraña canción, madame Petirrojo dijo:

—Quiere mostrarme algo importante. Enseguida vuelvo.

Tras pronunciar estas palabras, los dos pájaros emprendieron el vuelo.

Cinco minutos más tarde ya estaban de vuelta y madame Petirrojo dijo riendo:

—No tenía nada que ver con la Concha de la Risa. Sólo quería mostrarme a su familia. Este año han tenido una nidada tardía y los más jóvenes aún están aprendiendo a volar.

El pájaro de los arrozales asintió con orgullo.

Pero cuando el grupo de hadas prosiguió su camino, la canción del pájaro de los arrozales sonó más fuerte.

—*¡Pájaros de los arrozales, pájaros de los arrozales!*

Movía rápidamente la cabeza hacia adelante y hacia atrás, como un pájaro carpintero, pero sin un árbol al que picotear.

Entonces madame Petirrojo se excusó:

—Lo siento, no podemos prolongar la visita.

Cardencha estaba observando el pájaro de cerca.

—Está señalando algo —dijo.

El pájaro de los arrozales asintió con la cabeza y luego volvió a imitar al pájaro carpintero, dirigiendo su pico ligeramente hacia la izquierda del grupo. En la dirección que señalaba, divisaron una diminuta espiral de humo que se veía entre las copas de los árboles.

—Por supuesto —comentó Serio—, se trata de Matilda.

El pájaro americano de los arrozales volvió a asentir con la cabeza.

El elfo dio las gracias al pájaro y, una vez más, el grupo reanudó su marcha a través de los árboles, mientras Serio explicaba:

—Matilda es amiga mía. Es una bruja.

Atravesaron rápidamente los bosques hasta llegar a un pequeño claro donde encontraron a Matilda barriendo los escalones de la terraza de la fachada principal. Era un pequeña bruja regordeta de amable expresión. Llevaba un vestido azul oscuro y zapatos rojos. Las hadas pensaron que Matilda se parecía un poco a los trols, sobre todo porque sólo medía unos ciento veinte centímetros de altura y tenía más bien forma redondeada. Tenía una enorme nariz, y llevaba el pelo gris recogido en un moño que le coronaba la cabeza. Matilda lucía una tira de bayas de espino púrpura alrededor del cuello y una margarita detrás de una de las orejas.

Cuando Serio la presentó, respondió con un saludo. Aquél rechazó su ofrecimiento para tomar el té de raíz negra y le contó el motivo de su visita.

Tras meditar unos breves momentos, Matilda dijo:

LA BRUJA
Matilda

—¡Qué pena! —Miró al suelo, luego observó las caras que la rodeaban y volvió a mirar al suelo. Finalmente, la bruja, retorciéndose las manos, volvió a repetir—: ¡Qué pena, qué pena, qué pena!

—¿Qué pasa? —preguntó Tom con un tono de voz impaciente.

Matilda apoyó la escoba contra la puerta de entrada y se sentó en los peldaños de madera. Meneó la cabeza y suspiró antes de narrar su historia:

—Hace tres días, vendí una semilla que concede diez minutos de invisibilidad a Torpe Malapata. Bien, en realidad hice un canje. Él tenía un pedazo de trébol de color azul de luna, que es muy poco frecuente. Sólo crece durante la fase más rara de luna azul y únicamente el Ciervo Negro lo puede encontrar. Me hubiera sido absolutamente imposible conseguir trébol de color azul de luna de cualquier otra manera.

Volvió a agitar tristemente la cabeza, dirigiendo a Serio una mirada compungida.

Entonces Serio les dijo a las hadas y a madame Petirrojo:

—Torpe Malapata es el Espíritu de la Tristeza. Con una semilla de la invisibilidad, en cualquier momento pudo entrar en mi cueva y llevarse la concha consigo. Ésta es la explicación más probable.

Matilda los miró preocupada.

—Nunca pensé que pudiera hacer una cosa tan terrible. Lo siento mucho.

—No importa —replicó Serio—. ¿Sabes dónde podemos encontrarlo?

Matilda frunció el ceño mientras respondía:

—Hay poca gente que busque a Torpe Malapata. Normalmente es él quien busca a los demás. Debéis seguir el Sendero de la Tristeza —reflexionó durante unos cuantos segundos y añadió—: Si quisiera dar con él, comenzaría por el lugar más oscuro.

Recorrió con la vista su pequeño claro y señaló una sombra que había entre dos cedros.

—Yo comenzaría por allí —les dijo—. El Sendero de la Tristeza estará bien señalizado con la tristeza y el dolor.

El grupo se despidió de Matilda y se alejó a paso ligero.

Capítulo cinco

El sendero de la Tristeza

Entre dos cedros lograron ver un paso. Conducía a la zona más oscura del bosque que hasta el momento habían visitado. Siguiendo las negras sombras, el grupo ya había viajado casi una hora cuando, de pronto, oyeron un apagado lloriqueo. Examinaron los alrededores para localizar la procedencia del ruido. Risitas descubrió un pequeño conejo acurrucado bajo un matorral. Mientras Serio, Tom y Risitas echaban un vistazo bajo el matorral, las hadas y madame Petirrojo se introdujeron volando y rodearon al conejo. La diminuta criatura estaba sollozando, sumida en la más absoluta desesperación, como si le hubiera sucedido algo terrible.

Madame Petirrojo dirigió unas palabras al conejo en un tono de voz suave y tranquilizadora, con la intención de consolarlo. Cardencha y Libélula intentaron preguntarle qué era lo que le había salido mal. El diminuto y tembloroso conejito negó con la cabeza y siguió sollozando.

Caléndula roció sobre él una pequeña cantidad de polvos de duendecillo y dijo: *Sé feliz.* Pero el conejo siguió llorando.

Cardencha reflexionó unos segundos antes de pronunciar estas palabras:

—Nos encontramos en el Sendero de la Tristeza y hemos topado con un conejito muy afligido.

Los demás miembros del grupo no abrieron la boca. La miraron interrogativamente. Cardencha arrugó la frente y sus cejas se juntaron por el esfuerzo que hacía al pensar con tanta intensidad.

—¿Cuál es el remedio para la tristeza? —preguntó.

Entonces, en respuesta a la pregunta que ella misma había formulado, Cardencha dijo:

—La risa es la medicina. La medicina que necesita el conejo es la risa.

Tras pronunciar estas palabras, Cardencha voló veloz hacia Risitas que rápidamente se dio la vuelta de campana y permitió a Cardencha que le hiciera cosquillas en la barriga.

Inmediatamente, el bosque se llenó de risitas tontas y apagadas. Al escucharlas, Caléndula, Libélula y Tom comenzaron a reír.

Transcurrido un minuto, el conejo paró de llorar y una nube oscura de color gris verdoso se levantó por encima de su cabeza. El *Hechizo de la Tristeza* lo había abandonado. Mientras Risitas seguía riendo, la nube oscura se puso a temblar, agitarse y empezó a deformarse. Al final, se partió y los jirones de nube se dispersaron en diferentes direcciones.

Madame Petirrojo elogió a Cardencha y a Risitas.

—¡Maravilloso! ¡Buen trabajo!

Y Serio añadió:

—¡Bien hecho!

Tom, Caléndula y Libélula asentían y sonreían. Cardencha y Risitas parecían complacidas. El conejito se aproximó a Risitas y le restregó la nariz. Éste se tiñó de rosa como su barriguita. Luego, el conejo se alejó dando saltitos, sintiéndose también un poco turbado.

A medida que iban penetrando en el pavoroso bosque, adentrándose en unas sombras cada vez más oscuras y profundas, las hadas fueron encendiendo sus varitas para conseguir un poco de luz.

—¡Ojalá Luciérnaga estuviera aquí! —exclamó Cardencha.

Serio sostenía su collar de cristal entre sus manos y le habló con voz suave. Cuando lo volvió a dejar caer sobre su pecho, el colgante emitió un leve destello. A las hadas y madame Petirrojo aquel brillo adicional les proporcionó un gran consuelo.

Las hadas siguieron volando hasta llegar a un corro de setas venenosas.

—¡Mirad! —gritó Cardencha con los ojos muy abiertos—. Recordad lo que nos dijo madame Monarca acerca de los corros de setas venenosas. Suelen aparecer en los lugares donde las hadas se han reunido.

El grupo hizo una pausa mientras Cardencha buscaba *corros de setas venenosas* en su manual y les leía el artículo en voz alta:

> *Corros de setas venenosas: Suelen encontrarse en los lugares en que las hadas se han reunido. Estos corros provocan que la gente regrese una y otra vez al lugar en el que esperan ver a las hadas. Sin embargo, las personas sin magia no pueden ver a las hadas; y no es frecuente que las hadas vuelvan a reunirse en un mismo lugar. Por tanto, regresar a un anillo de setas venenosas con la esperanza de vislumbrar a las hadas es, en cierta forma, una soberana tontería. Las personas que desconfían de las hadas creen que los corros de setas venenosas son un mal augurio.*

—Puede que no sea tan estúpido buscar a las hadas en las inmediaciones de los corros

de setas venenosas —dijo Libélula—. Al fin y al cabo, ahora las hadas se encuentran en dicho lugar.

Cardencha, Caléndula y Libélula echaron un apresurado vistazo a los alrededores con la ligera ilusión de ver a alguien que estuviera observando el círculo de setas venenosas con la esperanza de descubrir algún rastro de las hadas.

El grupo prosiguió su viaje y, una hora más tarde, volvieron a escuchar un llanto. Esta vez era mucho más fuerte. Un enorme alce estaba sollozando, sumido en profunda desdicha, como si hubiera acabado de perder a su mejor amigo por segunda vez. Y era tal el estado de melancolía que lo embargaba que todos los miembros del grupo se mantuvieron a una distancia prudencial, temerosos de que se les contagiara aquella tristeza.

De nuevo, Cardencha y Risitas procedieron a ejecutar su rutinaria sesión de cosquillas y risas. Esta vez tardaron más, ya que el alce era muy grande. Pero la pareja no cejó en su empeño.

Al final, tras varios minutos de risas y carcajadas, una nube oscura de color gris verdoso se elevó por encima del alce, explotó y se dispersó. Cuando la nube se elevó, el alce dejó de sollozar y los miró con unos enormes ojos que expresaban gratitud. Luego pateó el suelo con una de las pezuñas delanteras, desenterrando varias bayas, que empujó hacia las hadas como gesto agradecido. Después se alejó caminando orgulloso hacia una zona del bosque más iluminada y menos sombría.

Capítulo seis

Torpe Malapata

Tampoco había que temer. El Sendero de la Tristeza no era complicado. El grupo simplemente fue siguiendo las sombras más oscuras. Mientras avanzaban, las hadas se iban aproximando cada vez más a Tom. Nunca en el pasado se habían topado con un *leprechaun* y sentían una enorme curiosidad. Mientras volaba, llevaba la mano metida en el bolsillo de su chaqueta.

Libélula preguntó con astucia:

—¿Podemos ver tu trébol mágico?

Tom giró la cabeza con un movimiento brusco para mirarla.

—¿Cómo sabes que tengo uno? —le replicó.

TOM
el leprechaun

—Lo explica mi manual —replicó ella.

Él esbozó una sonrisa mientras contestaba:

—No, lo tengo que mantener oculto porque, si no, pierde sus poderes mágicos.

—Creía que todos los *leprechauns* eran de color verde —añadió Caléndula.

Tom contestó un poco indignado:

—Puedo llevar el color que más me plazca.

Mientras pronunciaba estas palabras, como por arte de magia, sus ropas pasaron del color naranja al púrpura intenso y luego recobraron el color naranja. Guiñó el ojo a las niñas, y las hadas rieron encantadas.

—Y yo creía que todos los *leprechauns* eran pelirrojos —añadió Cardencha.

—Ningún miembro de mi familia es pelirrojo —contestó Tom—. El pelo de mi madre es azul —comentó, abriendo y cerrando los ojos.

Al pronunciar estas palabras, su cabello pasó por un momento de castaño claro a amarillo brillante antes de volver a su color original. Las niñas rieron divertidas. En aquel momento, las hadas ya estaban completamente prendadas de su nuevo amigo.

Los colores del bosque se fueron volviendo más intensos y más negros a medida que proseguían el viaje. La siguiente prueba de tristeza con la que se toparon fue una tortuga que parecía consumida por el dolor. Estaba sollozando agónica y desesperadamente, como si una terrible desgracia se hubiera abatido sobre ella.

Cardencha y Risitas aplicaron otra vez su dosis de risa medicinal y la tortuga se sintió aliviada del Hechizo de la Tristeza.

Reanudado el camino, las hadas se sorprendieron cuando Tom levantó el vuelo de repente y se alejó. Regresó unos segundos después, sosteniendo, alegre, en la mano una moneda que parecía muy antigua.

—Vi cómo centelleaba entre los árboles —dijo. Después les dirigió una mirada apesadumbrada y añadió—: Ya lo sé. Esto no es lo que se supone que estoy buscando.

Pero, acto seguido, guardó cuidadosamente la moneda en el bolsillo de atrás del pantalón y se puso a silbar una melodía intrascendente mientras seguían adelante.

Cardencha se acercó a Serio para volar con él mientras proseguían su viaje.

—¿Por qué nunca te ríes? —le preguntó con timidez. Tenía miedo de ser mal educada por preguntar algo tan personal.

A Serio no pareció incomodarle la pregunta y respondió:

—Yo siempre estoy pendiente de la concha. Alguien risueño y feliz no sería capaz de soportar los efectos de la Concha de la Risa por mucho tiempo. Mi trabajo es muy complicado y debe coordinarse con exactitud. A veces siete u ocho vientos se conectan entre sí para llevar la risa a un único lugar designado con antelación. Si el primer viento de la cadena falla, el resultado puede ser desastroso… Por ejemplo, puede ser que a lo largo de un año no haya risa en Canadá o en Alaska. Mi programación no me deja tiempo para la risa. Si no me mantuviera serio, sería fácil que me equivocara.

Serio hizo una pequeña pausa antes de proseguir con su relato:

—Pero supongo que la verdadera respuesta a tu pregunta es que nací con este carácter.

Precisamente, me escogieron para desempeñar este trabajo porque tenía una carácter serio y estoico. Mi hermano gemelo, Despreocupado, nació con un carácter muy chispeante y

feliz. Por ello lo eligieron como protector de la Piedra de las Lágrimas. Él sirve para estar pendiente de la piedra y es capaz de llevar a cabo sus tareas. Una persona triste y afligida no podría soportar mucho tiempo la presencia de la piedra. La Concha de la Risa y la Piedra de las Lágrimas existen para equilibrarse mutuamente, al igual que Despreocupado y yo.

De pronto, un grito de Tom interrumpió la conversación.

—¡Nos estamos aproximando! ¡Huelo un tesoro enterrado a unos metros de distancia!

Efectivamente, transcurridos unos minutos, llegaron a un pequeño claro circular que se abría en el bosque. Aquél era el lugar más sombrío de todo el viaje. Negros nubarrones parecían cernerse sobre sus cabezas, como si estuvieran esperando bajar y envolverlos, y una densa niebla gris se arremolinaba en el aire.

El claro estaba lleno de oscuras piedras grises cubiertas por una especie de espeso musgo. El color verde del velludo musgo era tan oscuro que casi parecía negro.

En el centro del claro, sentado sobre la piedra más grande, se encontraba Torpe Malapata. En un primer momento, las hadas no percibieron su presencia entre la oscuridad y la penumbra y con el color de las rocas.

El Espíritu de la Tristeza tenía aproximadamente la misma talla que Serio, pero no poseía una forma distintiva. Parecía que estuviera hecho parcialmente del mismo material que las nubes grises verdosas y oscuras de los hechizos que habían afectado al conejo, al alce y a la tortuga. Casi tenía el color verde de un guisante, salpicado de manchas grises verdosas y oscuras. La cara, las piernas y los brazos del espíritu parecían estar goteando y chorreando como si mantuviera una lucha por mantener su figura. Y tenía unos ojos enormes de color verde guisante profundamente hundidos en su escurridiza cara.

El Espíritu de la Tristeza los observó sin pronunciar palabra. Cardencha, Caléndula y Libélula pensaron que era la criatura más desagradable y nauseabunda que habían visto jamás.

—¿Dónde está la concha? —preguntó Serio.

Torpe Malapata no abrió la boca. En cambio, una amplia e irregular sonrisa se deslizó a través de su fea cara y lentamente alzó las manos hacia adelante. Por sus palmas que goteaban comenzó a filtrarse una nube humeante de color gris oscuro. Poco a poco, fue reptando hacia el elfo, el erizo, el *leprechaun*, madame Petirrojo y hacia las demás hadas.

Todos intentaron parapetarse tras diversas rocas, pero la cenagosa oscuridad los persiguió. Parecía que fuera imposible escapar de la nube de tristeza.

Capítulo siete

Alegría, Júbilo, Regocijo y Alborozo

En cuanto la oscura nube cubrió a los viajeros, los ahogaba y los asfixiaba. Y trajo consigo todos los pensamientos infelices que habían pasado anteriormente por su cabeza y todas las tristezas que los habían embargado en tiempos pasados. La agonía y el sufrimiento de la nube de desesperación se coló peligrosamente en su interior. Risitas se enroscó apretándose contra los pies de Serio y se puso a lloriquear. Madame Petirrojo se acurrucó al lado de Cardencha, Caléndula y Libélula mientras pensaba con frenesí en la manera de proteger a las jóvenes hadas. Pero el horror la había dejado paralizada. Nunca había sentido tanta infelicidad y desesperación. Las hadas estaban temblando incontroladamente y lloraban. Tom yacía derribado en el suelo sobre su espalda y observaba fijamente la oscuridad con una mirada de terror dibujada en su cara.

A través de sus lágrimas, Cardencha apuntó con su varita a Torpe Malapata y sollozó: —*¡R... refleja! ¡E... E... spejo!* Pero su hechizo no fue lo suficiente fuerte como para desviar la sofocante nube de tristeza.

Serio parecía ser el miembro del grupo menos afectado, pero todavía se retorcía sujetándose el estómago con muestras de dolor. Haciendo un tremendo esfuerzo, alargó la mano hacia Risitas y empezó a hacerle cosquillas. Se oyó una suave risa. Mientras Serio seguía con las cosquillas, las risas fueron aumentando de volumen y Cardencha se sumó a ellas pues, al oír que el erizo reía, le invadió la felicidad.

El sonido de la risa hizo que Torpe Malapata cayera hacia atrás de la piedra en que estaba sentado y la nube empezó a elevarse ligeramente.

Sin embargo, todo parecía indicar que el Espíritu de la Tristeza era mucho más poderoso. Encolerizado, Torpe volvió a alzar las manos. Esta vez, las espesas nubes negras se escurrieron a través de sus palmas dos veces más deprisa que la vez anterior, cubriendo otra vez a todos. Nadie podía moverse, ni siquiera pensar. La tristeza, el pesar, el sufrimiento y el dolor los consumían. Saturados por el tormento, la tristeza y la desgracia, parecían estar condenados.

Pero, de pronto, un extraño silencio se apoderó del bosque. Una blanca niebla brillante empezó a entrar en aquél claro por todos los lados y la negra nube se alejó de ellos. Casi instantáneamente la tristeza remitió. Serio, Tom, Risitas, madame Petirrojo y todas las hadas permanecieron muy calladas y acurrucadas. Cuando la niebla se coló dentro, una vaporosa y consoladora calidez las envolvió con su capa protectora.

Serio dijo sin alzar la voz:

—Permaneced muy quietos. Es la Madre Naturaleza. Ha adoptado la apariencia de la niebla.

Todos sintieron un profundo alivio. Luego se escuchó un bello sonido musical parecido al canto y la risa de un millar de diminutas campanillas. Serio inspiró profundamente, asintiendo con la cabeza, y dijo a sus amigos:

—Ha traído a los Espíritus de la Risa.

A través de la niebla, el grupo vislumbró a cuatro diminutas hadas idénticas con grandes ojos azules, cabellos largos y rubios y alas de un blanco plateado. Las pequeñas hadas sólo medían cinco centímetros de altura e iban vestidas igual, con leotardos y zapatillas plateados. Asidas de la manos y formando un círculo, se aproximaron a Torpe Malapata y quedaron suspendidas sobre su cabeza.

—El plateado es el color de la risa —dijo Serio sin alzar la voz—. Os presento a Alegría, Júbilo, Regocijo y Alborozo. Son cuatrillizas.

Cardencha no consiguió disimular su alivio y felicidad. Aunque Serio les había advertido que permanecieran callados, remontó el vuelo riendo y quedó suspendida sobre los demás. Antes de que madame Petirrojo pudiera amonestarla para que se callara y se tranquilizara, Cardencha gritó:

—¡Hola, Madre Naturaleza! ¡Hola... Alegría, Júbilo, Regocijo y Alborozo! ¡Gracias por acudir en nuestra ayuda! ¡Os queremos!

Durante unos segundos reinó el silencio. Luego oyeron una apagada risa sofocada y divertida que procedía del bosque y de la niebla que los envolvía, y los Espíritus de la Risa volvieron a reírse alegremente con el bello sonido tintineante de las musicales campanadas del viento. Todos, excepto Serio, sonrieron y dejaron escapar sus risas.

Mientras el grupo permanecía vigilante, la niebla se trasladó al centro del claro del bosque y cubrió por completo a Torpe Malapata. Luego, envuelto en una gruesa manta de niebla blanca, el Espíritu de la Tristeza fue obligado a marcharse rápidamente y desapareció entre los árboles.

Cardencha preguntó con un tono de voz asustado:

—¿Va a matarlo?

—Oh, no —respondió Serio sin demora—. Lo necesitamos. Recuerda lo del equilibrio del que te hablé. Necesitamos la tristeza. Sin ella, ¿cómo podríamos saber qué es la felicidad? No, seguro que no le hará daño. Hablará con él y le ayudará a entender el papel que desempeña en este mundo.

Acto seguido, Serio preguntó a las hadas:

—¿Cómo se enteró la Madre Naturaleza?

Sus voces sonaron como pequeñas notas musicales agudas cuando todas respondieron al unísono:

—Ella lo sabe todo.

Alborozo añadió:

—Pero no os preocupéis. Ella también sabe que no es culpa suya.

Alegría, Júbilo, Regocijo y Alborozo bajaron volando y quedaron suspendidas cerca de Serio, Tom, Risitas, madame Petirrojo y el resto de las hadas. Entonces dieron un besito en la mejilla a cada uno de los miembros del grupo. Los dulces besos desvanecieron cualquier resto de tristeza o de pena que entonces pudiera quedar. Risitas rio por lo bajo. Madame Petirrojo gorjeó. Serio simplemente clavó la vista en sus zapatos. Caléndula, Libélula y Cardencha rieron contentas. Y, efectivamente, el cabello de Tom se volvió de un rojo intenso, así como el resto de su figura.

Finalmente, agitando las manos para despedirse, los Espíritus de la Risa se fueron a toda velocidad, tras el rastro de la niebla.

Capítulo ocho

La Concha de la Risa

En el momento en que los duendecillos desaparecieron, Tom comenzó a olfatear en busca de la concha.

Transcurridos algunos minutos, afirmó orgulloso y satisfecho:

—Ya lo tengo.

Estaba de pie junto a una las piedras más negras y siniestras del claro. Tenía el tamaño de un pomelo grande. Serio se aproximó y se arrodilló al lado de la piedra. Cuando la levantó, al instante la piedra se transformó en una concha grande y bella de color del melocotón helado.

—La Concha de la Risa —declaró Serio aliviado—. Buen trabajo, Tom. Torpe debe haberla hechizado. Apostaría que se trata de un gnomo disfrazado de mago. Es una buena cosa que la magia de los elfos sea más poderosa, y que tengas un olfato tan fino, Tom, es todavía mucho mejor.

Cardencha, Caléndula, Libélula, madame Petirrojo y Tom sonrieron; y Risitas se rio feliz.

Meciendo con mimo la concha, Serio les dijo:

—Me gustaría ver cómo todos vosotros atravesáis el bosque y regresáis sanos y salvos a casa, pero tengo un poco de prisa, pues he de atrapar la última cola de los vientos alisios. ¿Me permitís que os envíe de regreso a casa por medio de la magia de los elfos?

Las hadas y madame Petirrojo dieron su consentimiento, sonriendo y asintiendo ilusionadas. Estaban preparadas para salir del negro bosque y regresar a casa sanas y salvas. Se despidieron de Tom, Risitas y Serio.

—Ahora tenéis que cerrar los ojos —ordenó Serio.

Las hadas y madame Petirrojo apenas habían acabado de cerrar los ojos al tiempo que

La Concha de la Risa

oían una última carcajada de Risitas, cuando escucharon otra voz:

—Vamos, empezad, explicádmelo todo.

Las niñas estaban sentadas en la sala de estar de tía Evelyn. Sobre la mesita del café había un par de cajas de pizza, varias latas de refrescos, un cuenco con gominolas de limón y un platito de alpiste del que comía madame Petirrojo.

—Venga, seguid, pero comed algo primero —dijo tía Evelyn—. Parecéis muertas de hambre.

Se fue a buscar servilletas, mientras madame Petirrojo se servía un poco de agua del cuenco del agua de *Maximiliano*. Al gato no le importó porque madame Petirrojo le caía muy bien. Cuando tía Evelyn regresó con las servilletas, les dijo:

—Llegasteis con un mensaje de Serio. Su nota decía que tardaríais cuarenta y cinco minutos en salir del *Hechizo-Sueño-Hechizo* del elfo. Sólo me dio tiempo de encargar la pizza. Y ahora, comed, comed. Luego, ya me lo explicaréis todo.

Grace, Jennifer y Beth pasaron el resto del día descansando. Más tarde, mientras estaban acabando de preparar los adornos navideños de arándanos, hablaron sobre su última expedición y sobre los nuevos amigos. Pero se sentían un poco intimidadas porque aquélla había sido una misión muy seria.

Tía Evelyn las llevó a su casa a la mañana siguiente.

Tres días después de su aventura, Cardencha, Libélula y Caléndula recibieron mensajes nuez de Serio. Cada bellota contenía un diminuto colgante: una cadena de plata de la que pendía una copia en miniatura de la Concha de la Risa. Cuando las niñas se acercaron las pequeñas conchas de color melocotón helado a los oídos, oyeron una risa apagada. Serio había puesto un *Hechizo de la Risa* en las conchas.

Todos los regalos iban acompañados de una nota en la que se daba las gracias a las niñas por la ayuda que le habían prestado en la recuperación de la Concha de la Risa y en la que se les aseguraba que, durante el año próximo, la risa no faltaría en Islandia, Noruega, Suecia y Finlandia.

Dos días antes de la Navidad, Grace fue a pasar la noche a casa de su amiga Lenox, cuya familia ya había regresado de visitar a sus parientes. Grace contó a Lenox todos los detalles de la última aventura de las hadas.

—Te echamos mucho de menos en el negro bosque, Luciérnaga.

Lenox contestó:

—Vaya, siento no haber estado allí para ayudaros, pero no puedo decir que me arrepienta de no haberme topado con Torpe Malapata. Toda esa tristeza e infelicidad debe haber sido una experiencia realmente horrible.

Por Nochebuena en casa de Jennifer era costumbre que todos los miembros de la familia dieran las gracias por alguna cosa de la que se sintieran agradecidos. A principios de año, Jennifer había conocido a una criatura llamada Araña de los Sueños que era la responsable de construir la Telaraña de los Sueños para atrapar las pesadillas. La araña le había entregado un diminuto brazalete de seda procedente de su telaraña mágica. Desde aquel momento, la niña había dormido mejor.

Tras permanecer un buen rato sentada, ensimismada y sin moverse, Jennifer dijo a sus padres y a su abuela:

—Doy las gracias por los amigos, la familia y los dulces sueños.

La familia de Beth tenía costumbres muy parecidas a las de la familia de Jennifer. Por Nochebuena, Beth y sus padres decoraban su árbol de Navidad. Mientras bebían chocolate caliente, comían galletas y colgaban los calcetines de Navidad, comentaban las cosas buenas que habían sucedido a lo largo del año. Beth dijo a sus padres:

—Este año he hecho muchos nuevos amigos. Doy las gracias por los amigos, la familia, la esperanza y por *Cacahuete.*

Mientras pronunciaba esas palabras, lanzó un crujiente perrito caliente de juguete para que su perro salchicha, *Cacahuete,* lo persiguiera.

Cacahuete salió corriendo tras él, pensando asimismo en lo afortunado que había sido aquel año. *Cacahuete* estaba muy agradecido por su familia, por su crujiente perrito caliente de juguete y por el nuevo animal de compañía del vecino... una perrita salchicha llamada *Cacao.*

La familia de Grace abría los regalos de Navidad por Nochebuena. Ella se sentó en el sofá entre su padre y su madre, e iba rasgando el papel de los envoltorios y riendo de felicidad.

Una vez abiertos todos los regalos, los padres de Grace le anunciaron un regalo especial que todos iban a recibir el próximo año. Grace iba a tener un hermanita que se llamaría Emily y que seguramente llegaría durante el mes de abril.

Grace dijo a sus padres:

—Doy las gracias por la familia, los amigos, la Navidad, por Emily y por la risa.

Cuando aquella noche subió a su habitación, Grace recibió otro maravilloso regalo. Madame Petirrojo la estaba esperando en el alféizar de su ventana. Le comunicó a Grace que su nueva hermanita también sería bendecida con el espíritu de las hadas. Emily iba a ser un hada ranúnculo.

Aquella Navidad, Grace se sentía rebosante de felicidad. Estaba impaciente por enseñar a su hermanita todas las cosas maravillosas que se debían aprender para convertirse en hada.

Fin

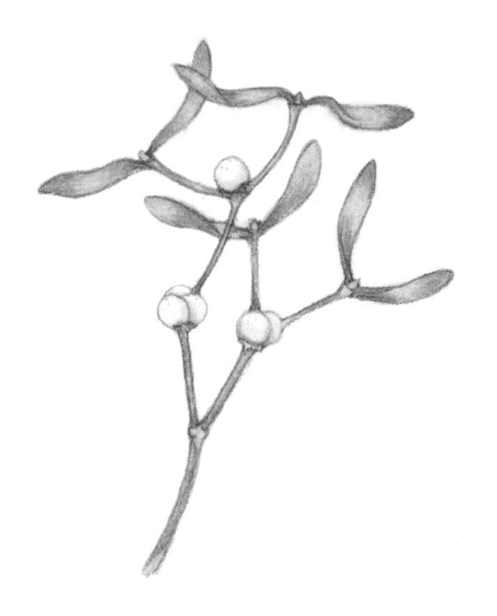

Diversiones de las hadas

Las hadas protegen la naturaleza y siempre que pueden suelen reutilizar todo aquello que sea reciclable. A continuación hay doce propuestas del folleto de Libélula, *102 Formas de utilizar las terrinas de mantequilla.* Intenta aportar ideas nuevas.

1. Utiliza las tapas como platos para plantas y flores.
2. Usa los recipientes de mantequilla de diferentes medidas como moldes para jugar con la arena.
3. También pueden usarse para guardar rafia, cuentas, cintas, etc.
4. En la nevera, van muy bien como compartimientos para cebollas, pimientos pequeños, aguacates, etc.

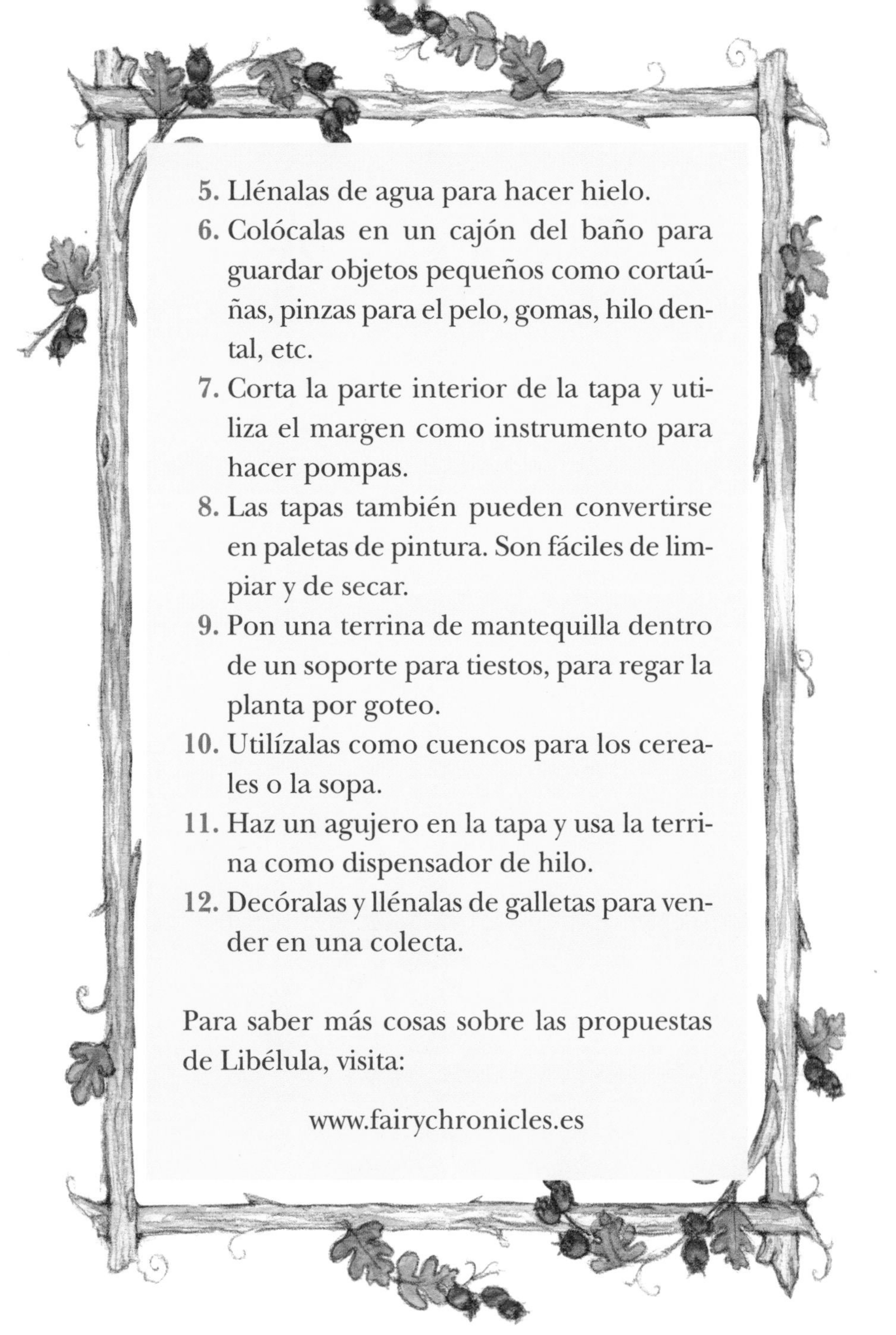

5. Llénalas de agua para hacer hielo.
6. Colócalas en un cajón del baño para guardar objetos pequeños como cortaúñas, pinzas para el pelo, gomas, hilo dental, etc.
7. Corta la parte interior de la tapa y utiliza el margen como instrumento para hacer pompas.
8. Las tapas también pueden convertirse en paletas de pintura. Son fáciles de limpiar y de secar.
9. Pon una terrina de mantequilla dentro de un soporte para tiestos, para regar la planta por goteo.
10. Utilízalas como cuencos para los cereales o la sopa.
11. Haz un agujero en la tapa y usa la terrina como dispensador de hilo.
12. Decóralas y llénalas de galletas para vender en una colecta.

Para saber más cosas sobre las propuestas de Libélula, visita:

www.fairychronicles.es

HECHOS DE LAS HADAS

Cardenchas

Las cardenchas crecen en muchos países y son de diferentes clases. Del mismo modo que los girasoles, las cardenchas son las flores silvestres más altas y pueden alcanzar los ciento cincuenta centímetros de altura. También son plantas perennes, con lo cual a pesar de que las plantas mueren durante el invierno, brotan de nuevo cada primavera.

¿Cuál es el origen del nombre «hada»?

Hace mucho tiempo, más o menos tras la caída del imperio romano, se empezaron a contar historias sobre una tierra mágica, el país de *faërie.* Los habitantes de este lugar increíble se denominaban *pequeñas hadas* y eran seres salvajes y

mágicos de cualquier forma y medida. Las historias sobre *faërie* y los habitantes mágicos se extendieron por toda Europa, con otro tipo de historias como por ejemplo, la Leyenda del rey Arturo. Con el paso del tipo, la palabra *faërie* se utilizó para denominar a los mismos seres mágicos y derivó en hada. Aunque hay quien recuerda, es el caso de los escritores y los poetas, que una vez, hace mucho, mucho tiempo, se contaban historias, no de hadas de nuestro mundo, sino de otro mundo muy distinto, del reino de *faërie*.

¿Qué opinas? ¿No crees que sería fantástico poder visitarlo?

¿Por qué tenemos cosquillas?

¡Lo creas o no, los científicos aún no se han puesto de acuerdo en el tema de las cosquillas! Algunos creen que los humanos tenemos cosquillas porque en un pasado no demasiado lejano desarrollamos un reflejo que nos alertaba cuando un trepador indeseable (como una araña) se colaba por un lugar que no queríamos (justo en el lugar en el que tienes más cosquillas: axilas, barriga y planta de los pies). Otros científicos apuntan que las cosquillas forman parte de la sociedad humana, ya que no puedes dirigirte a alguien, hacerle cosquillas y esperar que se ría. Primero tienes que conocer a la persona para poder hacerle cosquillas, para que se sienta cómoda cuando se las hagas. ¡Menos mal porque si no, nos haríamos cosquillas unos a otros sin parar! Otros son partidarios de que las cosquillas son una forma de establecer vínculos entre padres e hijos, ¿Quién tiene razón? Quizá cuando seas mayor, estudies el tema de las cosquillas y puedas responder a la pregunta. ¿Por qué tenemos cosquillas?

Pájaro americano de los arrozales

El pájaro americano de los arrozales es un ave de las praderas, y se distingue porque es el único pájaro americano que tiene el lomo blanco y la frente negra. Es un gran viajero. Cada año viaja desde los prados americanos del sur, pasa por Ecuador y regresa. ¡Hace un recorrido de más de 20.000 Km antes de regresar a su hogar! Si se tiene en cuenta que la circunferencia de la Tierra mide unos 40.075 Km (la distancia total si viajas en una dirección, para regresar al punto desde el cual has partido), con tan sólo dos años de vida, el pájaro americano de los arrozales habrá volado una distancia igual ¡que si hubiese dado la vuelta a la Tierra!